Nadar

Introduction,
repères chronologiques,
notes bibliographiques et techniques,
par André Jammes.

FONDATION
NATIONALE
DE LA PHOTO
GRAPHIE

La collection Photo-Poche est publiée
par la Fondation Nationale de la Photographie
avec le concours du Ministère de la Culture.

Légende de la couverture: Edouard Manet, vers 1863.

ISBN 2-85107-103-3
Imprimé en Suisse / Printed in Switzerland.

L'ŒIL ET L'ESPRIT DE NADAR

Quelques jours avant Noël de l'an 1865, Charles Baudelaire écrivait à sa mère : "Je voudrais avoir ton portrait ; c'est une idée qui s'est emparée de moi". Il ajoutait cette remarque, étonnante sous sa plume : "Il faudrait que je fusse présent. Tu ne t'y connais pas", révélant ainsi une intimité avec l'image photographique qui contredisait les diatribes du Salon de 1859. Puis il définissait ce que doit être un bon portrait : "Je voudrais que le visage eût au moins la dimension d'un ou deux pouces. Il n'y a guère qu'à Paris qu'on sache faire ce que je désire, c'est-à-dire un portrait exact, mais ayant le flou d'un dessin".

Charles Baudelaire, dans un coup de tendresse avait-il renoncé à ses anathèmes contre le fléau daguerrien, qui contribue "à ruiner ce qui pouvait rester de divin dans l'esprit français" ? Certainement pas, car il précise aussitôt pour sa mère ce qu'il déteste dans l'image mécanique : les photographes, dit-il "prennent pour une bonne image, une image où toutes les verrues, toutes les rides, tous les défauts, toutes les trivialités du visage sont rendus très visibles, très exagérés ; plus l'image est dure, plus ils sont contents". Si Baudelaire ne surmonte pas son dégoût généralisé pour la photographie, il ne peut échapper à la fascination qu'exercent les portraits de ceux qu'il aime. L'idéal qu'il définit, le "portrait exact, mais ayant le flou d'un dessin", s'applique à l'évidence aux épreuves de Nadar. D'ailleurs, les deux hommes s'estimaient et il y eut entre eux une véritable amitié. Nadar a tiré son portrait plusieurs fois : cinq portraits sur douze recensés par les spécialistes. Les poses sont originales, sans doute décidées par le poète et reçues avec fidélité par l'homme de l'art. Implicitement Baudelaire acceptait une sorte de complicité avec les émules de Daguerre; n'avait-il pas dit à sa mère "il faudrait que je fusse présent".

La grande majorité des intellectuels de cette époque affectait une attitude ironique et désinvolte envers la photographie, tout en acceptant ses produits avec émotion. Baudelaire n'innovait pas en cette matière, mais il eut le bon goût de marquer la différence entre les vils produits du commerce et les réussites des meilleurs artistes. Les bons photographes n'hésitaient pas non plus à se désolidariser des productions triviales. La convergence entre les invectives bien connues du Salon de 1859 de Baudelaire et les plaidoiries de Nadar doit être soulignée. Nadar savait qu'il transcendait la banalité quotidienne de son métier, et lors du triste procès qu'il intenta à son frère qui lui avait volé son pseudonyme, il traça la frontière entre l'artiste et le praticien. Baudelaire s'est probablement souvenu de ce texte.

"La Photographie est une découverte merveilleuse, une science qui occupe les intelligences les plus élevées, un art qui aiguise les esprits les plus sagaces – et dont l'application est à la portée du dernier des imbéciles... Cette surnaturelle Photographie est exercée chaque jour, dans chaque maison, par le premier venu et le dernier aussi, car elle a ouvert un rendez-vous général à tous les fruits secs de toutes les carrières. Vous voyez à chaque pas opérer photographiquement un peintre qui n'avait jamais peint, un ténor sans engagement, et de votre cocher comme de votre concierge je me charge, – c'est sérieusement que je parle, – de faire en une leçon deux opérateurs photographes de plus. La théorie photographique s'apprend en une heure; les premières notions de pratique, en une journée...

Ce qui ne s'apprend pas, je vais vous le dire: – c'est le sentiment de la lumière, – c'est l'appréciation artistique des effets produits par les jours divers et combinés, – c'est l'application de tel ou tel de ces effets selon la nature des physionomies qu'artiste vous avez à reproduire.

Ce qui s'apprend encore beaucoup moins, c'est l'intelligence morale de votre sujet, – c'est ce tact rapide qui vous met en communication avec le modèle, vous le fait juger et diriger vers ses habitudes, dans ses idées, selon son caractère, et vous permet de donner, non pas banalement et au hasard, une indifférente reproduction plastique à la portée du dernier servant de laboratoire, mais la ressemblance la plus familière et la plus favorable, la ressemblance intime. – C'est le côté psychologique de la photographie, le mot ne me semble pas trop ambitieux".

Ce discours enflammé exprime la réalité malgré l'immense vanité qu'il révèle. Les portraits exécutés par Nadar, tout au moins ceux du début de sa carrière sous l'inspiration initiale, nous transmettent cette "ressemblance intime" que l'on ne trouve presque jamais chez les autres photographes.

L'originalité de ces œuvres s'explique à la fois par le caractère de Nadar, prompt à l'amitié et fin psychologue, par son talent de caricaturiste qu'il a exercé durant une douzaine d'années avant de passer dans le camp de Daguerre, et par une curiosité native pour les sciences qui lui a permis d'approfondir les structures anatomiques du visage. Son dynamisme, sa truculence, sa fidélité et sa générosité en faisaient un compagnon idéal, qui cultivait et collectionnait les amis : Guys, Philipon, Murger, Gautier, Baudelaire, et tant d'autres. Les meilleurs de ces premiers portraits seront des constats d'amitié et formeront la base d'un fonds célèbre dès sa naissance. L'aisance des poses de ses modèles est due sans doute à la relation complaisante qui existait entre le modèle et le photographe, mais la vigueur des traits tenait à des causes plus profondes.

Au milieu du siècle, Nadar avait donné à la presse de nombreux articles, fruits d'un examen attentif de la société qu'il côtoyait ou qu'il fréquentait, et surtout, il dessinait. Ses caricatures sont apparues dans les journaux dès 1842. D'une plume rapide et acerbe, il saisissait les personnages de la politique ou de la littérature, et les publiait dans la presse d'opposition, à la Revue comique, au Journal pour Rire, au Journal amusant. Cette culture des "binettes contemporaines" était pour lui la meilleure initiation au métier de portraitiste. En quelques traits il établissait la nomenclature de tout ce qui était excessif ou bizarre chez ses amis ou ses ennemis. Sur ses murs, s'accumulaient les portraits-charge des célébrités, collection qui s'épanouira dans le Panthéon Nadar, immense lithographie où trois cents personnages défilent en procession derrière Victor Hugo.

La connaissance des hommes par la littérature, la politique, le journalisme et la caricature fut heureusement complétée chez Nadar par la rencontre fortuite du Docteur Duchenne de Boulogne, qui lui ouvrit les portes de la science; ultime coup de pouce à la formation du photographe.

Nadar venait d'installer son frère dans un atelier photographique (1853), et l'une des premières tâches du jeune artiste fut de prêter son assistance au célèbre neurologue Duchenne. Celui-ci préparait un travail qui paraîtra, plus tard, sous le titre de Mécanisme de la physionomie humaine, ou analyse électro-physiologique de l'expression des passions. En faisant passer un courant électrique dirigé avec précision, Duchenne montrait et photographiait le fonctionnement de chaque muscle de la face. Il put ainsi localiser les muscles de la réflexion, de l'agression, de la douleur, reconnaître la joie, la bienveillance, le mépris, la lascivité, la tristesse, démonter le mécanisme du pleurer, du pleurnicher, de l'étonnement, de la frayeur et de l'effroi. Le jeune Tournachon-Nadar était venu lui apporter les dernières recettes glanées chez Le Gray. Félix Nadar, qui n'était pas encore brouillé avec son frère, a dû faire ses délices de ces images goyesques. Ensemble, ils ont fait répéter la collection des grimaces au mime Debureau. Après leur brouille, Nadar recommencera la scène avec Legrand.

Ce que Duchenne avait voulu, c'était "exposer l'orthographe et la grammaire de la physionomie humaine." Nadar comprit la valeur de ces leçons qui renouvelaient les enseignements traditionnels des ateliers de peinture. Les "têtes d'expression" que les peintres copiaient laborieusement d'après Lebrun, les exercices de Géricault chez les aliénés, le "Désespéré" de Courbet étaient dépassés. L'électricité et la photographie fournissaient une iconographie nouvelle en accord avec les tendances positivistes du temps. Nadar est le produit unique du XIXe siècle où se mêlent les influences d'Hogarth de Lavater et de Duchenne de Boulogne.

A la fin de l'année 1853, Nadar ouvre son atelier rue Saint Lazare. En quelques années il donnera le meilleur de son œuvre. Son succès est considérable et son nom symbolise à lui seul la photographie française. Il a des concurrents, mais pas de vrais rivaux. Ses portraits de Nerval, de Daumier, de Berlioz, de Philipon et de Rossini n'ont pas d'équivalents. D'autres photographes ont un grand talent, mais les visages que Carjat par exemple nous a livrés, semblent plus froids, plus systématiques; ceux d'Adam Salomon apparaissent trop apprêtés. Et que dire de l'immense production de Disdéri, de

Pierre Petit, et de tant d'autres? Roger Greaves, après avoir fait l'éloge du "flou Nadarien," résume bien la situation : "Dans les portraits où il n'y a personne, avec ou sans flou, ce n'est pas le modèle qui manque, c'est Nadar."

L'œuvre nadarienne, nouvelle, ample, forte et cohérente, n'accepte guère la comparaison et c'est seulement en Angleterre que l'on pourrait trouver des galeries d'hommes illustres ayant une puissance comparable. L'œuvre de David Octavius Hill vient immédiatement à l'esprit, mais il y a un abîme entre la technique primitive du négatif sur papier utilisée par l'Ecossais et le collodion de Nadar, qui rend impossible tout rapprochement. Margaret Julia Cameron serait, en fin de compte, la seule photographe dont les œuvres mériteraient une comparaison. Chez elle, même dédain pour la technique, même curiosité pour les grands personnages qui l'entourent, même passion pour l'intelligence. Mais, à la différence de Nadar, elle s'empare littéralement de ses victimes, et leur arrache les nobles attitudes de son choix. Elle fait, de chaque pose, sa propre affaire, elle impose sa manière. Sa puissante personnalité reste présente dans tous ses portraits reconnaissables au premier coup d'œil.

L'attitude de Nadar est différente. Ses modèles sont aussi des amis, mais il ne leur extorque rien, il les prend tels qu'ils sont dans la simplicité de la confiance. Margaret Julia Cameron exalte en chaque visage ce qui témoigne du caractère sublime de la créature humaine. Les personnalités les plus originales, les visages les plus singuliers n'échappent pas à cette règle. Nadar lui, tourne le dos à cette métaphysique, il regarde les hommes, les comprend, et veut les respecter absolument. Chaque image découle d'un consentement accordé à l'ami photographe caché derrière son objectif, et devient une expression autorisée.

La seule limite à l'inspiration de Nadar était imposée par la technique. Ses portraits célèbres ont été exécutés sur plaques au collodion, substance visqueuse et capricieuse. Ce fameux collodion était une solution de coton-poudre dans un mélange d'alcool et d'éther. Il était sensibilisé successivement à l'iodure, puis au nitrate d'argent. Il devait être versé et étalé sur la glace au moment même de l'exécution du portrait pour garder toute sa sensibilité. Les temps de pose étaient longs, plusieurs secondes, parfois jusqu'à vingt. Ainsi le mouvement, l'animation du visage, étaient exclus. La sagesse classique et porteuse de beauté était imposée à Nadar qui aurait préféré

les gestes et les mimiques plus conformes aux idées "réalistes."
Il a pourtant su conserver les grimaces d'un mime, la moue sceptique d'un journaliste, et quelques parcelles de sourires. L'expression naturelle est conservée malgré la torture de la pose, et les décors sont exclus. Nadar disparaît de la scène et se fait transparent, il est un peu le magicien de la chambre noire. C'est ce "charme magique des vieux portraits" que Sartre a évoqué : "ces têtes que Nadar a photographiées aux environs de 1860, il y a beau temps qu'elles sont mortes. Mais leur regard reste, et le monde du Second Empire, éternellement présent au bout de leur regard."

André Jammes

13. Félix Nadar, vers 1853-1855.

15. Charles Baudelaire, 1855.

Nadar

17. Baron Isidore Taylor, vers 1855-1856.

19. Thérèse Maillet Tournachon, vers 1854.

21. Jules Janin, vers 1855.

23. Victor Cousin, vers 1855.

Cousin

25. Napp, vers 1854.

27. Gérard de Nerval, vers 1854-1855.

29. Vallent, vers 1853-1854.

31. Auguste Préault, vers 1856.

33. Philarète Chasles, vers 1854.

35. Gioacchino Rossini, vers 1855-1856.

37. J. Thierry, vers 1853-1854.

Thierry phot.

39. Théodore Rousseau, vers 1857.

41. Maurice Saphir, vers 1855.

43. Louis Boulanger, vers 1854-1855.

45. Rosine Stolz. vers 1857.

47. Théophile Gautier, vers 1855.

Nadar

49. Champfleury, 1855.

Nadar

51. Honoré Daumier, vers 1855.

Daumier

53. Gustave Doré, 1854.

55. Alexandre Dumas, vers 1855-1857.

57. Théophile Gautier, vers 1855.

59. Jean Journet, 1857.

61. Paul Legrand, vers 1858.

63. François Louis Lesueur, vers 1855-1858.

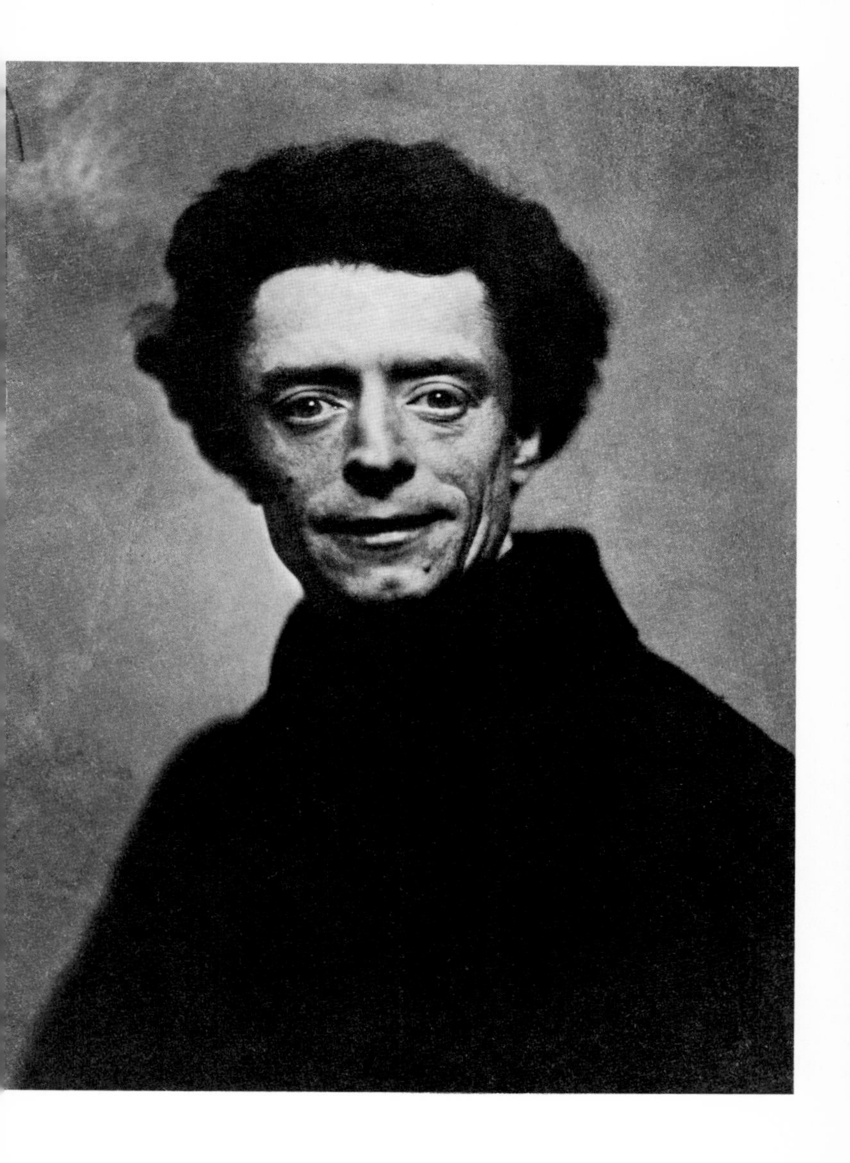

65. Félix Nadar, vers 1853-1854.

67. Charles Philipon, vers 1856.

69. Adolphe Crémieux, vers 1858.

71. Jean-Baptiste Clésinger, vers 1858-1860.

73. Pierre Cicéri, vers 1860.

75. Charles Asselineau, vers 1854-1857.

77. Paul Chenavard, vers 1856-1858.

79. Femme inconnue, vers 1860.

81. Michel Bakounine, vers 1861.

83. Hector Berlioz, vers 1859.

85. Victor Cousin, vers 1860.

87. Eugène Delacroix, 1858.

89. François Guizot, vers 1857-1860.

91. Alexandre Dumas fils, vers 1864.

A. Dumas fils

93. Mère Jeanne Jugon, vers 1860.

95. Emile Littré, vers 1860.

97. Jean-François Millet, vers 1858-1860.

Nadar
Millet

99. Charles, duc de Morny, vers 1860.

De Morny

101. Joseph Palizzi, vers 1860.

103. Eugène Pelletan, vers 1854-1855.

105. Adam Salomon, vers 1860.

Adam Salomon

107. Pierre Joseph Proudhon, vers 1860.

109. Jean Pons Guillaume Viennet, vers 1860.

111. Ch. Vincent, vers 1855-1858.

113. Edouard Manet, vers 1863.

115. Sarah Bernhardt, vers 1860-1865.

117. Camille Corot, vers 1863.

119. Athanase Coquerel, vers 1865.

Athanase
Coquerel

121. Edmond Becquerel, vers 1860-1865.

A mon vieux camarade Becquerel,
Nadar

123. Théophile Thoré, vers 1865.

125. George Sand, 1864.

127. Paul Nadar, vers 1862-1863.

129. Jacques Offenbach, vers 1875.

131. Victor Hugo, vers 1884.

133. Victor Hugo, 1885.

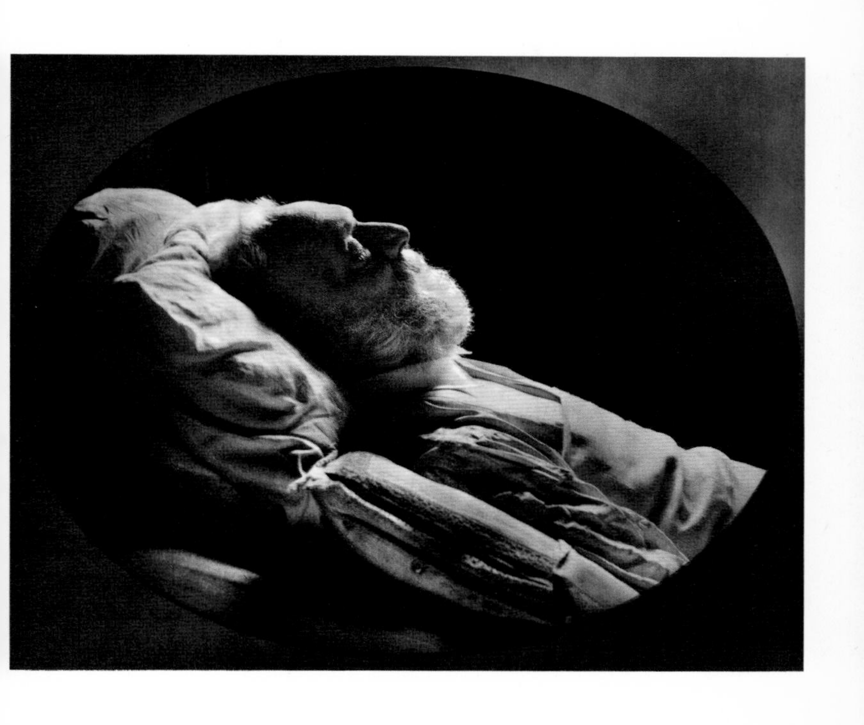

135. Eugène Chevreul, 1886.

137. Eugène Chevreul, 1886.

139. Ernestine Nadar, vers 1890.

NOTE TECHNIQUE SUR LES EPREUVES DES PORTRAITS DE NADAR.

Les œuvres des photographes, pourtant si proches de nous, ont été généralement mal conservées et parfois ont presque totalement disparu. Nadar heureusement fait exception. Ses négatifs sont préservés par les Archives photographiques des Monuments historiques, l'essentiel de ses photographies positives et de ses papiers a été acquis par la Bibliothèque Nationale. Le Musée Carnavalet et la Société Française de Photographie ont également reçu des dons importants.
L'étude de son œuvre ne devrait donc pas offrir de difficultés. Pourtant, un examen sérieux des épreuves connues de ses portraits fait apparaître une grande disparité d'un exemplaire à l'autre, les négatifs ayant été exploités sans interruption pendant un siècle. Les tirages positifs ont subi l'influence des modes, et des retouches successives sont intervenues pour satisfaire le goût changeant du public.
Des restaurations sur les négatifs ont été tentées pour réparer les dégradations subies par la pellicule fragile de collodion.

Longtemps, les historiens ont privilégié l'intérêt documentaire de ces images et négligé leur immense valeur esthétique. Toute reproduction satisfaisait, pourvu qu'elle soit signée du "N" magique. Nous sommes devenus plus difficiles en notre époque où la "photologie" se développe, et après avoir examiné de nombreux tirages, il nous paraît possible d'établir des catégories que des enquêtes en cours devront préciser.

Tout d'abord, nous savons que Nadar conservait dans son atelier des épreuves de ses négatifs à l'état brut, non retouchées, non repiquées, et souvent sans signature. Peut-être préférait-il ces épreuves d'artiste qui constituaient en tout cas un matériel de travail indispensable. Puis il fournissait au modèle ou aux acheteurs éventuels de belles épreuves, montées sur carton mince, signées à la main et portant parfois un cachet sec; ce sont les premiers tirages commerciaux. La Société Française de Photographie en possède de beaux exemples.
Sont apparus ensuite des retirages effectués sous le contrôle de plus en plus lointain de Nadar, qui commença à négliger son atelier dès le début des années soixante.

Paul Nadar, ayant peu à peu succédé à son père, tira parti de son vieux fonds jusqu'à sa mort en 1939, faisant retoucher à la fois les négatifs et les positifs par Kreder ou d'autres artistes qui les mettaient au goût du jour. Après sa mort, tous ces trésors tombèrent dans les mains de Marthe, l'ultime héritière des Nadar, qui termina une vie difficile en exploitant maladroitement son vieux matériel et en dispersant parfois de précieux souvenirs de l'atelier.

Nous avons choisi pour le présent livre les meilleures épreuves possibles des plus anciens tirages connus de la Bibliothèque Nationale, de la Société Française de Photographie et de plusieurs collections privées. Dans certains cas nous avons utilisé des épreuves récemment obtenues par Claudine Sudre d'après les négatifs originaux des Archives photographiques des Monuments historiques. Ces tirages ont été effectués après un examen scrupuleux des négatifs qui ont été allégés d'une grande partie de leurs retouches.

REPERES CHRONOLOGIQUES

Lorsqu'en 1839 l'Académie des Sciences annonça au monde la découverte de la photographie, Félix Nadar avait 19 ans. Il avait perdu son père, libraire ruiné. Il se trouvait soutien de famille et dans une demi-misère. Après un bout d'études médicales vite abandonnées, il s'essaya dans le journalisme, ébauchant quelques amitiés littéraires et politiques.

En 1845, il publie son premier roman, "La robe de Déjanire", et donne des caricatures aux journaux politiques d'opposition. En 1848, il s'élance au secours de la Pologne. L'équipée échoue lamentablement et Nadar se console en effectuant une modeste mission d'espionnage en Prusse. De retour en septembre, il gagne durement sa vie en multipliant ses caricatures pour Philipon.

Il pousse alors son jeune frère Adrien collaborateur occasionnel aux journaux illustrés, vers la photographie. A la fin de l'année 1853, Adrien s'installe Boulevard des Capucines. Dès le début de 1854, Nadar lui-même est au travail, 113 rue Saint-Lazare, avec un laboratoire entièrement équipé, et il entreprend des recherches sur le collodion. Au mois de mars il publie sa célèbre lithographie le " Panthéon Nadar".

Quelques-uns de ses meilleurs portraits apparaissent dès 1854 et 1855. Mais cette période est gâtée par les mauvais rapports qu'il entretient avec son frère, qui abuse du pseudonyme Nadar. Cette querelle se termine par un procès, Adrien sera condamné.

En 1856, il est à la tête de trois journaux illustrés et d'un atelier photographique qui connaît un énorme succès, pourtant il commence à s'intéresser à l'aérostation. En 1858, il réussit la première photographie aérienne, et il met au point l'éclairage électrique qui lui permet de photographier la nuit.

En 1860, son atelier devenant exigu, il se transporte Boulevard des Capucines, au numéro 35. Il photographie en lumière artificielle les catacombes et les égoûts de Paris.

La mort de Philipon l'éloigne du journalisme, la concurrence des autres photographes, surtout celle de Disdéri (et des ses cartes de visites), entraînent une certaine désaffection envers la photographie. Il se jette dans les aventures et les théories de la navigation aérienne. " Le Géant", ballon de 6.000 mètres cubes, fait sa première ascension le 4 octobre 1863. Le 18, il tombe en Hanovre, Nadar et sa femme sont blessés, la catastrophe est également financière et il doit bientôt vendre ses collections.

Pendant le Siège de Paris en 1870, il organise une compagnie des aérostiers militaires, et durant la Commune sauve Félix Pyat et Bergeret. En pleine crise financière, il déménage rue d'Anjou, mais conserve son local de la rue des Capucines où en 1874, il accueillera la première exposition des Impressionnistes.

Son dernier exploit photographique : en compagnie de son fils Paul, l'interview de Chevreul centenaire (1886). L'année suivante, il se retire à Sénart avec sa femme Ernestine, frappée d'hémiplégie. En 1895, il s'installe modestement à Marseille. Il meurt le 21 mars 1910.

NOTE BIBLIOGRAPHIQUE

Nadar a rédigé à la fin de sa vie des souvenirs passionnants, mais remplis d'imprécisions. Ils ont paru d'abord dans Paris-Photographe, puis chez Ernest Flammarion en 1900, sous le titre "Quand j'étais photographe".

Jean Prinet et Antoinette Dilasser ont publié chez Armand Colin en 1966, dans la collection Kiosque, une remarquable monographie sur Nadar où l'on trouve un maximum de détails et de précisions sur sa vie et ses activités dans tous les domaines. Ce livre reste le fil conducteur indispensable à toute étude nadarienne.

Plus récemment, en 1980, Roger Greaves a élaboré un tout nouveau Nadar de plus de 400 pages, qui est la première biographie vivante et documentée du photographe. Publiée chez Flammarion, cette monographie fourmille de renseignements inédits et d'appréciations pertinentes. Remarquablement écrite, elle fait une large place à l'œuvre littéraire de Nadar, mais survole rapidement son activité photographique.

La Bibliothèque nationale avait organisé en 1965 une exposition Nadar pour laquelle Mme A. Chevallier avait rédigé un catalogue de 410 numéros qui reste un excellent guide.

Le Nadar de MM. Ph. Néagu et J.J. Poulet-Allamagny, publié chez A. Hubschmid, a le mérite de grouper un large choix de caricatures, de dessins et de photographies de Félix Nadar, et quelques portraits plus récents de Paul Nadar. Les auteurs ayant pris pour base de leur travail le fonds de négatifs des Archives photographiques des Monuments historiques, on y trouve d'intéressants détails sur les plaques de Nadar et leur histoire, et des notices biographiques utiles sur les personnages représentés.

CREDITS PHOTOGRAPHIQUES

13. 15. 19. 21. 23. 25. 29. 31. 33. 35. 37. 39. 41. 43.
45. 49. 53. 55. 57. 59. 61. 65. 67. 69.
71. 73. 75. 77. 85. 89. 91. 93. 97. 99. 101. 103. 105. 107.
109. 111. 119. 121. 123. 127. 133. 135. 137.
Collections privées.

17.27.87.117.139.
Archives Photo des Monuments Historiques
tirages Claudine Sudre.

81. 95. 115. 129. 131.
Archives Photo des Monuments Historiques.

47. 83.
Société Française de Photographie.

51. 79. 113. 125.
Bibliothèque Nationale.

Dans la même collection:
2. Henri Cartier-Bresson. Texte de Jean Clair

Cet ouvrage, le premier de la collection Photo-Poche
dirigée par Robert Delpire, a été réalisé
avec la collaboration de Françoise Sadoux
et imprimé par Jean Genoud.